FAITES UN VŒU

Pour Salomé et Faustine.
A. C.

**NOUS SOMMES TOUS DIFFÉRENTS,
DONC TOUS EXCEPTIONNELS.**

PROVERBE ARAMÉEN

Éditions Play Bac, 14 bis, rue des Minimes, 75003 Paris ; www.playbac.fr

FAITES UN VŒU

MOKA

ILLUSTRATIONS
ANNE CRESCI

playBac

Kumiko est japonaise. C'est une peintre talentueuse, qui aime aussi la photo et la mode. **Son animal totem est le serpent.**

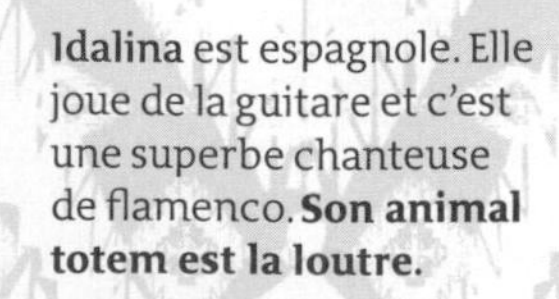

Idalina est espagnole. Elle joue de la guitare et c'est une superbe chanteuse de flamenco. **Son animal totem est la loutre.**

Naïma est afro-américaine. Son père est américain et sa mère vient d'Afrique. Le cirque est sa passion. **Son animal totem est le blaireau.**

Rajani est indienne. Elle adore danser, surtout les danses traditionnelles de son pays. **Son animal totem est le corbeau.**

Alexa est australienne. Elle souhaite devenir championne d'équitation. **Son animal totem est le coyote.**

Ennemies
des Kinra Girls

M. MEYER
le directeur

MISS DAISY
l'assistante du directeur

MME BECKETT
le professeur d'anglais

MAÎTRE WANG
le professeur de dessin

SIGNORA DELLA TORRE
le professeur de chant

MME JENSEN
le professeur de danse

MME GANZ
le professeur d'art dramatique

M. BROWN
le professeur de mathématiques

M. DOUGLAS
le professeur d'histoire-géographie

LUIGI
le chef cuisinier

JOSEPH LAPOINTE
(ou Mato Sapa)
le gardien de nuit

Les personnes rencontrées à Rome

ROMEO LATTANZIO
comte d'Ulpiano

GINA
assistante du comte d'Ulpiano

SIGNORE BARDI
spécialiste de Léonard de Vinci

Chapitre 1

Naples : 1 – Rome : 0

Mme Jensen, le professeur de danse, tapa dans ses mains. Elle fit la moue.

– Je suis très déçue, déclara-t-elle. Vous ne m'écoutez pas, ma parole ! On recommence depuis le début ! Aladin, le sultan, au centre !

– Heu, il est plus de midi et demi, intervint Mme Ganz, le professeur d'art dramatique. Et il faut qu'ils se changent avant de se rendre au réfectoire.

– Très bien, dit sèchement Mme Jensen. Qu'ils aillent donc déjeuner ! Qu'on ne se plaigne pas si le spectacle n'est pas prêt pour la fin d'année !

Sur ce, elle pivota sur les talons et sortit de la salle. John, qui jouait Aladin, regarda le professeur d'art dramatique.

– C'est vrai qu'on ne sera pas prêts, madame ?

– Bien sûr que si ! répondit Mme Ganz. Encore quelques répétitions et vous serez au point !

Tous les élèves de la classe retrouvèrent le sourire. Alors que les Kinra Girls rassemblaient leurs affaires, la gentille Mme Ganz s'adressa à elles.

– Dépêchez-vous. Le directeur vous attend. Maintenant.

– Pourquoi ? demanda Rajani.

– Ah, vous verrez !

Son air réjoui était rassurant. Il n'y avait rien de grave, sans doute. Mais c'était très intrigant... Peu avant 13 heures, les filles se présentèrent au bureau de M. Meyer. Aussitôt, son chien se leva en agitant la queue.

– Entrez, entrez ! leur cria celui-ci. Non, Jazz, elles ne viennent pas pour t'emmener en promenade.

Le labrador se recoucha sagement aux pieds de son maître.

– Bonjour, M. Meyer, dirent les Kinra Girls de concert.

– Bonjour, mes enfants. Je ne vous retiendrai pas longtemps. Figurez-vous qu'une drôle de lettre est arrivée ce matin.

Il chercha de la main l'enveloppe sur sa table.

– Il y a quelques semaines, vous avez fait une découverte plutôt surprenante dans la bibliothèque[1]. Je passe sur le fait que vous n'aviez pas le droit d'être là en pleine nuit.

– Le lion mécanique ! s'exclama Naïma. Oh, pardon, monsieur.

– C'est ça. Bref ! L'automate ayant été trouvé dans l'école, il appartient au propriétaire du château, M. Bergström. Après réflexion, M. Bergström a décidé de faire don du lion à un musée privé de sa connaissance. Et – allez donc comprendre pourquoi ! – il a jugé que ce serait une bonne idée que vous assistiez à sa remise officielle au musée !

Les cinq filles restèrent bouche bée.

M. Meyer ouvrit l'enveloppe et en sortit des billets d'avion.

– Mesdemoiselles, vous partez pour Rome ! annonça-t-il.

Idalina porta les deux mains à son cœur.

1. *Voir le tome 9 des Kinra Girls,* Sur la piste du trésor.

L’Italie ! Elle en rêvait depuis qu’elle était toute petite ! Le pays le plus romantique du monde ! La patrie de Puccini[2], son compositeur préféré !

– C’est vrai ? murmura Naïma, abasourdie par la nouvelle.

– Eh oui ! dit M. Meyer. Miss Daisy

2. Giacomo Puccini (1858-1924) est, avec Verdi, le plus connu des compositeurs italiens. Il a composé des opéras dont les plus célèbres sont La Bohème, Tosca *et* Turandot.

vous conduira à l'aéroport. Mais vous voyagerez seules. Ne vous inquiétez pas, on vous attendra à l'arrivée. Vous serez hébergées dans une villa romaine. Pour ce que j'en sais, vous devriez vous y plaire…

– Pourquoi ça ? demanda Alexa.

– Parce que ce n'est pas un endroit ordinaire ! Allez déjeuner. Vous êtes déjà en retard. Et n'oubliez pas, ce soir, de préparer votre sac de voyage ! Votre vol est demain !

– De… demain ? bégaya Rajani.

– Après-midi. Miss Daisy viendra vous aider quand elle sera de retour. Filez !

Dès qu'elles furent sorties, le directeur se mit à rire. Il caressa la tête de son chien.

– Mon vieux Jazz, tes jeunes amies vont avoir une belle surprise !

Les dames de service au réfectoire

n'adressèrent pas de reproches aux filles malgré l'heure. Visiblement, elles avaient été prévenues. Le chef Luigi observait le bon déroulement du repas, les poings sur les hanches. Rien ne procurait plus de plaisir au cuisinier que des élèves mangeant avec appétit !

– Hé, chef Luigi ! l'interpella Kumiko. On part pour l'Italie !

– Ah ? C'est formidable, ça !

– Oui, on va à Rome, précisa Idalina.

Le sourire du chef s'effondra.

– Je suis napolitain, moi. C'est Naples, la belle ville ! C'est pour ça qu'on dit « voir Naples et mourir » !

Kumiko et Idalina échangèrent un regard.

– Je préfère aller à Rome, dans ce cas... répondit Kumiko.

– Le problème de Rome, c'est que c'est plein de Romains, rétorqua le chef.

Que des prétentieux ! Les Napolitains, ah, les Napolitains ! Ils sont chaleureux, ils sont gais, ils chantent toute la journée !

– Et ils habitent à l'ombre du Vésuve. Ce volcan peut exploser n'importe quand, remarqua Alexa.

Le chef Luigi haussa les épaules.

– Les Romains, eux, ils vivent dans le passé ! C'est que des vieilles pierres, Rome ! Des ruines et des touristes !

– S'il y a autant de visiteurs, c'est parce que les vieilles pierres valent le détour ! répliqua Alexa qui aimait bien titiller le chef.

– Les touristes intelligents choisissent de visiter Naples ! s'énerva Luigi. Nous aussi, on a des musées ! Et le soleil ! Il pleut tout le temps à Rome !

– Vous n'exagérez pas un peu ? demanda Rajani.

– Si, il pleut ! Souvent ! Et autrement, il fait tellement chaud que c'est intenable ! À ***Napoli***[3], il y a la mer. On a de l'air !

– Et à Rome, il y a le pape[4], dit Alexa.

Le chef Luigi fronça les sourcils. Il lui fallait un argument décisif pour remporter la partie.

– Ce sont les Napolitains qui ont inventé la pizza.

Naïma approuva de la tête d'un air songeur. Alors, là, évidemment... Satisfait d'avoir eu le dernier mot, Luigi s'en retourna à sa cuisine en se frottant les mains. Naples : 1 – Rome : 0.

3. Napoli *(en italien) : Naples. Ville située au sud de l'Italie.*

4. *Le pape est le chef de la religion catholique. Il vit au Vatican, à Rome.*

Chapitre 2

Magnifico !

Idalina lisait le guide touristique prêté par Miss Daisy. Elle avait remarqué que s'occuper l'esprit était le meilleur moyen de ne pas être malade en avion.

– Il y a tellement de choses à visiter, on n'aura jamais assez de temps ! se désespéra-t-elle.

– Tu devrais cocher ce que tu veux absolument voir, conseilla Rajani.

– ***Io non so !*** répondit Idalina. Ça veut dire « je ne sais pas ».

– Tu as déjà appris à parler italien ! s'écria Alexa.

– Non, hélas ! J'ai seulement lu les dernières pages à la fin du guide.

Un steward passa pour s'assurer que les petites voyageuses avaient bouclé leur ceinture de sécurité. L'arrivée à l'aéroport de Rome était imminente. Idalina s'accrocha à son siège. Elle détestait les décollages et les atterrissages. Leur avion se posa sur la piste avec la légèreté d'un papillon. Des applaudissements retentirent. On saluait l'habileté du pilote !

Les Kinra Girls avaient été autorisées à garder leurs sacs en cabine. Pas d'attente interminable devant le tapis roulant pour elles ! Une hôtesse vint les chercher pour les accompagner jusqu'à la sortie.

Soudain, Kumiko poussa une exclamation et pointa le doigt vers une pancarte.

– Regardez ! L'aéroport s'appelle « Leonardo da Vinci » !

Chapitre 2

– C'est un signe, ça, affirma Naïma.
Le signe du lion !

Le lion mécanique que les filles avaient découvert dans la bibliothèque était une copie d'un automate inventé par le grand Léonard de Vinci. L'original avait malheureusement disparu depuis plusieurs siècles. Le lion du château était lui-même très ancien et on pensait qu'il avait peut-être été fabriqué à l'époque de Léonard. Beaucoup de mystères entouraient cet étonnant objet…

Les Kinra Girls espéraient en apprendre plus lors de leur séjour à Rome.

Une jeune femme très souriante les accueillit

après leur passage à la douane.

– ***Buon giorno***[5] *!* Je suis Gina ! Vous n'êtes pas trop fatiguées ? Non ? On sera à la maison dans une demi-heure. Ça ira ? Oui ? La voiture est garée tout près. C'est le minibus bleu. Oui ? Le chauffeur, c'est Carlo.

– ***Buon giorno***, répondit Idalina.

Ce fut tout ce qu'elle réussit à dire. Gina était incroyablement bavarde. Elle faisait les questions et les réponses. Les choses se compliquèrent avec Carlo qui était aussi bavard que Gina, sauf que lui ne parlait qu'italien.

Alexa se gratta l'intérieur de l'oreille. Elle allait devenir sourde si ça continuait. Carlo quitta soudain l'autoroute. Il emprunta d'abord une large route puis une plus modeste. Le long de cette voie, de belles maisons se succédaient. Enfin, le minibus

5. Buon giorno *(en italien) : bonjour.*

s'engagea sur un petit chemin goudronné qui s'arrêtait à une grille. Carlo actionna une télécommande pour ouvrir le portail. Idalina se pencha en avant pour mieux voir le splendide jardin. Entre les majestueux pins d'Alep et les cyprès pointus poussaient des lauriers-roses, des palmiers nains et des oliviers. Une rangée d'orangers conduisait vers une terrasse couverte de rosiers. La villa, ou plutôt le palais, était d'une couleur ocre, presque dorée dans les rayons du soleil couchant. La lumière était si extraordinaire à cet instant-là que même Gina en resta muette. Dix secondes.

– Bienvenue au ***palazzo***[6] d'Ulpiano ! déclara-t-elle.

– On n'est pas à Rome, remarqua Rajani.

– Non, dit Gina. Mais tout près...

– C'est la maison de qui ? demanda Idalina en descendant du minibus.

6. Palazzo *(en italien) : palais.*

– Ah ! Voilà Monsieur le comte ! annonça Gina.

Les Kinra Girls se retournèrent. En haut des marches qui menaient à la terrasse apparut un homme mince en costume clair. Il portait un canotier, un chapeau de paille

à bords plats. Il tenait une canne sur laquelle il ne s'appuyait pas. Alors qu'il descendait, Idalina vit qu'il avait une fine moustache et les tempes grisonnantes. Il n'avait sans doute pas plus de 40 ans.

– Bonjour ! Bonjour ! lança-t-il d'une voix chantante. Je me présente : Romeo Lattanzio, comte d'Ulpiano[7] ! Je suis ravi de vous accueillir chez moi !

– Merci, répondit Rajani. Heu… Monsieur le comte.

Il fit un grand geste de sa main libre comme s'il jetait quelque chose par-dessus son épaule.

– Ah non ! Appelez-moi Romeo ! Eh, Gina ! Ne sont-elles pas magnifiques, ces jeunes filles ? Leur beauté fait de l'ombre à ma rose blanche, celle-là, elle gagne tous les prix dans les concours !

7. En italien, le « e » se prononce toujours « é » et le « u » toujours « ou » : on prononce donc le « comté d'Oulpiano ».

Idalina regarda le rosier surchargé de fleurs que Romeo indiquait. Elle rougit du compliment. Les roses blanches étaient tout simplement sublimes.

– J'aime bien gagner... dit Romeo d'un air pensif.

Gina hocha la tête en souriant. Elle était habituée au comportement un peu étrange de son employeur. Les Kinra Girls, en revanche, étaient intimidées par le personnage. Alexa réagit la première. Elle voulait savoir à qui elle avait affaire !

– Excusez-moi de vous demander ça, mais pourquoi... pourquoi vous nous recevez chez vous ?

Romeo sembla étonné.

– ***Ma***[8], on ne vous a pas expliqué ?

– Non, Monsieur le comte, répondit Naïma.

– ***Ma***, le lion, il est à moi !

8. Ma *(en italien) : mais.*

– Comment ? s'indigna Kumiko. C'est nous qui l'avons découvert !

– Bien sûr ! Je veux dire que le lion est dans mon musée, maintenant ! Frederik me l'a confié.

– Frederik Bergström ? supposa Rajani.

– ***Si***[9] *!* C'est un ami de ma famille depuis... hummm... oh, au moins un demi-siècle ! C'est ma grand-mère qui lui a vendu le château pour créer son école !

– Le château appartenait à votre grand-mère ? s'exclama Alexa.

– ***Si*** *!* Elle l'avait hérité de son arrière-grand-oncle !

La sonnerie d'un téléphone retentit dans la villa. Romeo remonta les marches en sautillant. Gina invita les filles à entrer. Une agréable fraîcheur régnait dans le hall du palais. Au centre trônait une fontaine formée de quatre dauphins qui crachaient

9. Si *(en italien) : oui.*

de l'eau. Le sol était en marbre blanc et quelques statues reposaient dans des alcôves[10]. Les statues étaient d'ailleurs présentes partout dans le palais. Des tableaux ou des fresques aux couleurs douces ornaient les murs ocre. Il y avait des plantes vertes dans tous les recoins. Une impression d'harmonie et de paix se dégageait du lieu.

Les chambres se trouvaient à l'étage. Des mosaïques dans des camaïeux de bleu dessinaient des motifs floraux derrière les lits. Des objets de bronze et des poteries complétaient le décor.

– On se sent bien, ici, remarqua Kumiko. C'est vraiment très joli.

Gina leur proposa de redescendre dès qu'elles auraient rangé leurs affaires. Un dîner léger les attendait. Enfin, léger... selon Gina ! Jambon de Parme, mozzarella,

10. Alcôve : renfoncement dans un mur.

légumes confits et risotto[11] aux cèpes !
Romeo réapparut à la fin du repas.

– Ah ! Toujours des choses à régler à la dernière minute ! se plaignit-il. Bon ! Espérons que tout sera prêt pour la fête !

– Une fête ? s'enquit Rajani.

– C'est le minimum pour accueillir le lion dans mon musée, eh !

Le comte d'Ulpiano avisa la table où Gina venait de poser une corbeille de fruits.

– C'est quoi, ça ? Ce n'est pas un dessert ! Allez ! Je vous emmène manger un ***tartufo*** en ville !

– Qu'est-ce que c'est ? demanda Naïma, très intéressée.

– ***Tartufo*** : truffe au chocolat glacé ! ***Magnifico***[12] !

Au mot chocolat, le sourire de Naïma s'agrandit. Pour disparaître aussitôt quand

11. Mozzarella : fromage italien ; risotto : préparation à base de riz rond.

12. Magnifico *(en italien) : magnifique.*

Gina répondit :

– Monsieur le comte, il est trop tard !

À la façon dont il la regarda, il était clair que Romeo ne comprenait absolument pas.

– Ce sont des petites filles ! dit Gina. Il faut qu'elles dorment !

Romeo eut un grand geste de la main.

– Ridicule ! Qui a besoin de dormir ? Carlo ! La voiture !

Il sortit de la salle à manger en appelant son chauffeur. Naïma se leva et fit signe à ses amies de la suivre. Gina les mit en garde : la réception au musée aurait lieu dans la soirée du lendemain. Si elles ne se reposaient pas, elles risquaient de le regretter !

– Ben, on n'est pas obligées de se lever à l'aube non plus, répondit Alexa.

– Vous ne connaissez pas Monsieur le comte, soupira Gina. L'homme qui n'est jamais fatigué !

Carlo, quant à lui, était ravi d'aller faire un tour à Rome. Comme il était impossible de se garer dans le centre-ville, il en profiterait pour rendre visite à un de ses cousins. Carlo avait beaucoup de cousins...
Il ne fallut qu'un petit quart d'heure au chauffeur pour rallier le cœur de Rome.
La chaleur, assez inhabituelle pour la saison, incitait les Romains à la promenade nocturne. Romeo entraîna les Kinra Girls dans une rue étroite qui débouchait sur une place tout en longueur.

– ***Piazza***[13] Navona ! annonça Romeo.

La plus belle place du monde !

Les cinq filles marquèrent un temps d'arrêt pour admirer les façades aux couleurs chaudes. Le comte leur expliqua qu'au Ier siècle de notre ère un stade se trouvait à cet endroit, d'où la forme ovale de la ***piazza*** Navona.

13. Piazza *(en italien) : place.*

– Rome est la ville aux mille fontaines ! Et il y en a trois, ici !

Il les conduisit jusqu'à la plus grande, dominée par un obélisque égyptien dressé sur une fausse grotte d'où surgissaient un cheval marin et... un lion. Quatre impressionnantes statues de marbre représentaient des personnages gesticulants.

– Voici la fontaine des Quatre-Fleuves[14], dit Romeo. Chaque statue symbolise un fleuve, un par continent. Le Gange pour l'Asie, le Danube pour l'Europe, le Rio de la Plata pour l'Amérique et le Nil pour l'Afrique.

14. La fontaine est l'œuvre de Gian Lorenzo Bernini (1598-1680), dit « le Bernin », et de ses élèves. Le Bernin était à la fois architecte, sculpteur, décorateur, peintre et poète !

– C'est curieux, il y a un voile sur le visage de celle-là, remarqua Kumiko.

– ***Si*** *!* rit Romeo. La fontaine a été construite au XVIIe siècle. Le visage caché, c'est pour rappeler qu'à l'époque on n'avait pas encore découvert les sources du Nil ! ***Magnifico***, eh ? Ah, je vois qu'il y a une table libre à ma terrasse préférée. Dépêchons-nous avant qu'elle soit prise !

La serveuse du café se précipita dès qu'elle aperçut Romeo. Ce dernier la salua par son prénom et passa la commande. La serveuse s'empressa de servir « Monsieur le comte ». En fin gourmet, Naïma prit le temps de regarder son ***tartufo*** avant de le goûter. La grosse boule de glace était recouverte de morceaux de chocolat et d'une épaisse couche de crème Chantilly. Quand elle dégusta la première bouchée, elle apprécia le côté craquant, l'intensité du chocolat noir et la douceur de la chantilly. La glace elle-même était d'un moelleux incomparable. Mais elle ne s'attendait pas à la surprise finale. Il y avait une cerise au milieu du ***tartufo*** !

Naïma lécha soigneusement sa cuillère, déposant par mégarde un peu de chantilly sur le bout de son nez.

– ***Magnifico***, dit-elle avec un sourire béat.

Chapitre 3

Mystère et magie…

Le ***palazzo*** d'Ulpiano était si paisible que, pour une fois, Idalina s'était facilement endormie. Juste avant l'aurore, elle fut tirée de son sommeil par le chant flûté d'un rossignol. Du fond de son lit, elle écouta la merveilleuse mélodie de la star des oiseaux virtuoses.

Elle bâilla et se leva pour regarder par la fenêtre. Le jardin était une invitation à la rêverie. Idalina posa le menton dans le creux de sa main et contempla la lumière qui, peu à peu, dévorait l'ombre. La journée s'annonçait belle. Il serait dommage de ne pas en profiter ! Passant de chambre en chambre, Idalina réveilla ses amies en claironnant haut et fort :

– Debout, là-dedans !

Rajani et Alexa ne protestèrent pas et obéirent de bonne grâce. En revanche, les deux autres n'apprécièrent pas d'être traitées ainsi ! Dans le couloir, Idalina croisa Gina qui s'étonna de la voir aussi pétillante à cette heure matinale.

– Pas question de dormir alors que Rome nous attend ! lui répondit Idalina.

– On croirait entendre Monsieur le comte ! Il prend son petit déjeuner dans la galerie des cages. Quand vous serez prêtes, vous pouvez l'y rejoindre. Dans le hall, porte de droite.

– La galerie des cages ? Drôle de nom !

– Drôle d'endroit ! répliqua Gina en riant.

Je te laisse la surprise !

Idalina retourna secouer les paresseuses. La faim persuada Naïma de se lever. Mais Kumiko faisait de la résistance.

– On partira sans toi ! la menaça Idalina.

– Pour aller où ? grommela Kumiko.

– Je l'ignore, c'est pour ça que c'est excitant !

Finalement, elle tira Kumiko de son lit en agitant sa caméra vidéo sous son nez.

– Pense à toutes les choses extraordinaires que tu vas pouvoir filmer !

Après leur douche, les Kinra Girls descendirent ensemble. La porte de la fameuse galerie des cages était ouverte. Les filles restèrent clouées sur place en découvrant sa surprenante décoration. De toutes les formes, de toutes les couleurs, suspendues au plafond ou reposant sur des guéridons, partout, des cages à oiseaux !

– Elles sont vides, remarqua Alexa. Tant mieux ! C'est horrible d'enfermer des animaux !

Devant la grande baie vitrée, le comte d'Ulpiano dégustait son thé. Il leur fit signe de venir s'asseoir à sa table.

– ***Buon giorno*** ! Comment trouvez-vous ma collection ? C'était celle de Léonard de Vinci ! Léonard avait pour habitude d'acheter les oiseaux captifs. Et ensuite, il ouvrait leurs cages et les libérait !

Idalina pointa le doigt vers une cage en forme de tour Eiffel.

– Je suis sûre que la tour Eiffel n'existait pas à l'époque de Léonard ! objecta-t-elle.

Romeo haussa les épaules.

– Oui, bon... C'est un détail, ça, eh...

Idalina fronça les sourcils. Le comte était un sacré menteur ! Rajani, qui admirait cette improbable collection, faisait le tour de la galerie. Sur le mur étaient accrochés de nombreux tableaux. Soudain, Rajani s'immobilisa. Elle sursauta quand Romeo surgit à son côté.

– Ah ! Tu aimes la peinture ?

– Euh, oui… je suppose, répondit-elle. Mais… là, le portrait, c'est… c'est qui ?

– Ah oui ! C'est Leonzio Rinaldi, dont

nous parlions justement hier ! L'arrière-grand-oncle de ma grand-mère, qui était le propriétaire du château ! Je lui ressemble un peu, non ?

Curieuses, les Kinra Girls traversèrent la pièce pour voir ce qui se passait. Rajani se retourna vers elles. À son regard, elles comprirent qu'elles devaient éviter les commentaires. Car ce qui avait attiré Rajani n'était pas tant le personnage que ce qu'il tenait sur ses genoux… Un chat angora blanc.

Heureusement, le téléphone sonna à ce moment-là et le comte d'Ulpiano quitta les lieux pour y répondre.

– C'est pas vrai… murmura Naïma.

– Si, acquiesça Kumiko. C'est bien le chat fantôme[15] ! Quand il n'était pas encore un fantôme, évidemment…

15. Voir les tomes précédents des Kinra Girls. Le chat fantôme hante l'Académie. Rajani l'a rencontré à deux reprises. Il apparaît même sur une photo prise par Kumiko.

– Alors, ce Leonzio Rinaldi était le maître de notre copain le chat, dit Rajani.

Alexa s'approcha du portrait puis se recula.

– On distingue mal à cause des poils, mais il porte déjà la clé d'or attachée à son collier !

Leur conversation fut interrompue par le retour de Romeo.

– Décidément, il vous plaît, mon ancêtre ! s'écria-t-il. Il paraît qu'il était un peu bizarre. Quelle idée de quitter l'Italie pour s'enfermer dans ce château, tout seul !

– Il avait peut-être découvert que le lion mécanique y était caché ! supposa Kumiko.

– Possible, répondit Romeo avant d'éclater de rire. Ah, ah ! Je vais vous apprendre quelque chose d'amusant. Leonzio signifie... cœur de lion !

– Et vous savez le nom du chat ? demanda Idalina.

– Le nom du chat ?

– Ben, heu, votre grand-mère aurait pu vous en parler…

– Dommage qu'elle soit partie escalader l'Everest, elle aurait pu te le dire.

– Mais… elle a quel âge, votre grand-mère ? s'étonna Naïma.

– 91 ans, pourquoi ?

Idalina mit les poings sur ses hanches. Et cette très vieille dame faisait de l'alpinisme sur la plus haute montagne du monde ! Qui allait croire une histoire pareille ? Romeo sourit et les invita à prendre leur petit déjeuner.

– J'aurais dû emporter le guide avec moi, regretta Idalina. J'ai coché tout ce que je voulais voir. Enfin, de mémoire… Le Colisée, le Forum romain, le Vatican, le Musée étrusque, la Villa Borghèse, le château Saint-Ange, la ***via***[16] Appia, l'église…

– Holà ! s'écria Romeo. Tu as prévu de

16. Via *(en italien) : rue.*

rester combien de semaines ?

– Je t'avais conseillé de choisir, dit Rajani.

– C'est ce que j'ai fait ! répondit Idalina.

– Bon, j'admire ton enthousiasme. Malheureusement, il faut être raisonnable. Je déteste ce mot… Voilà ce que je vous propose. Aujourd'hui, nous nous promenons dans Rome. Demain, je vous emmène au Vatican.

– On va rencontrer le pape ? plaisanta Alexa.

– OK. Je peux demander !

– Bien sûr ! rétorqua Idalina. Vous connaissez le pape !

– ***Ma si !*** Je connais tout le monde, moi, eh…

Romeo finit sa tasse de thé et sortit en appelant Carlo.

– Il n'arrête pas de mentir ! se fâcha Idalina.

– C'est juste pour rire ! répliqua Kumiko.

Ne le prends pas si au sérieux !
L'exaspération d'Idalina ne dura pas longtemps. La visite de Rome en compagnie de Monsieur le comte se révéla passionnante. Et Romeo était un organisateur hors pair ! Il s'arrangea avec Carlo pour que celui-ci les retrouve en différents endroits de la ville. De cette façon, le chauffeur les récupérait et les déposait d'un lieu à un autre.
Ils firent d'abord le tour du Forum, situé au pied du mont Palatin, une des sept collines

de Rome. Dans un écrin de végétation, les ruines des temples, des colonnes et des palais offraient au regard un millier d'années d'histoire romaine.

Romeo les entraîna ensuite non loin de là, sur le mont Aventin, aux rues calmes et ombragées. Il les conduisit sous le porche d'une église. Un énorme médaillon de marbre où était sculptée la tête d'un homme barbu et chevelu avait été dressé contre un mur. Les yeux, le nez et la bouche étaient forés[17] et creux.

– Voici une des nombreuses curiosités de Rome, déclara-t-il. *La Bouche de la Vérité !* À l'origine, c'était probablement une plaque d'égout. On pense que le personnage est le dieu Océan. La légende raconte que les Romains introduisaient la main dans la bouche pour prêter serment et que, s'ils mentaient, la

17. Foré : percé.

bouche avalait leur main.

Idalina se tourna vers Romeo, une lueur facétieuse dans les yeux.

– Ah oui ? Et si vous mettiez votre main dans la bouche, Monsieur le comte ?

– Oui bon... grommela Romeo. Je tiens à mes doigts, moi, eh...

Le minibus se gara sur la place. Carlo était pile à l'heure pour les conduire dans un autre quartier. Pour le déjeuner, Romeo les invita dans une pizzeria.

Impossible d'être à Rome sans voir le Colisée, dont la forme ovale presque ronde était célèbre dans le monde entier. C'était, sans nul doute, le plus impressionnant des monuments. L'amphithéâtre pouvait accueillir au moins 50 000 spectateurs. À l'époque romaine se tenaient là des combats de gladiateurs ou de bêtes fauves pour le plaisir du peuple. On inondait même l'arène pour recréer des batailles navales !

Avant de rentrer au palais, Romeo emmena les Kinra Girls dans le jardin de la place Victor-Emmanuel-II. La promenade était agréable et rafraîchissante sous les cèdres du Liban, les magnolias et les palmiers. L'allée de gravier les guida jusqu'au mur nord du parc.

– Pour moderniser la ville et la gare, on a détruit beaucoup de maisons ici, dit Romeo.

– Tiens, il y a deux statues identiques, là-bas, remarqua Kumiko. Il n'est pas très beau, le bonhomme qui a servi de modèle !

– C'est le dieu égyptien Bès. Ce vilain nain est plutôt un gentil. Sa laideur mettait en fuite les mauvais esprits. Bès est le protecteur des familles. Mais le plus intéressant se trouve entre les statues. La porte magique !

Incrustée dans le mur, la porte n'était en fait plus qu'un rectangle de pierre blanche surmonté d'un médaillon. Des symboles mystérieux, des phrases en latin et une inscription en hébreu[18] étaient gravés dans la pierre.

– Voici tout ce qui reste de la villa Palombara. Une des cinq portes d'accès à son jardin. Les quatre autres ont été démolies avec la somptueuse propriété de Massimiliano Palombara, un étrange marquis qui vécut au XVIIe siècle... C'était un passionné de magie. Il avait, semble-t-il, un laboratoire dans son domaine, où il cherchait à transformer les métaux en or. Cette recherche

18. Hébreu : langue des Hébreux, considérés comme les ancêtres des Juifs.

s'appelle l'alchimie. Palombara recevait chez lui des alchimistes, des médecins et des astrologues[19]. Un jour, un homme se présenta chez lui et lui demanda l'autorisation d'utiliser son laboratoire. On n'est pas sûr de son identité. Certains récits disent qu'il n'aurait passé qu'une nuit dans la villa, d'autres qu'il serait resté des mois. Toujours est-il que cet homme disparut mystérieusement. Il laissa derrière lui quelques fragments d'or et des notes incompréhensibles. Le marquis pensa qu'il s'agissait de la formule pour fabriquer de l'or. Il fit appel aux plus grands spécialistes de son époque. Mais personne ne parvint à déchiffrer les parchemins. Alors, Palombara fit graver les symboles et les textes sur les portes de son jardin dans l'espoir

19. L'astrologie étudie les influences que le ciel (planètes, étoiles) peut avoir sur les événements terrestres.

qu'un jour quelqu'un les décrypte. Malheureusement, il n'y a plus qu'une seule des cinq portes ! dit Romeo. Alors, il n'y a plus aucune chance de découvrir le secret de l'énigmatique invité du marquis.

– Vous avez tout inventé ? soupçonna Idalina.

– Absolument pas ! protesta Romeo. Cette histoire est très connue ! Il paraît que des magiciens se réunissent la nuit devant la porte. Certains croient qu'en fait ce serait un passage vers un autre monde.

Il était grand temps de rentrer. La réception au musée commençait à 19 heures. Dans l'allée du jardin, ils croisèrent quelques habitués des lieux : des chats. Rajani suivit l'un d'eux des yeux et se retourna. Sur la tête d'une des statues du dieu Bès, un énorme corbeau s'était posé. D'abord

RUAH ELOHIM

surprise, Rajani s'immobilisa. Puis elle rattrapa Kumiko et la tira par la manche.

– Regarde ! Le…

– Le quoi ?

– … corbeau. Il était là, il y a à peine trois secondes !

– Il a dû s'envoler, supposa Kumiko.

Romeo les appela pour qu'elles se pressent. Kumiko rejoignit le groupe en quelques enjambées. Rajani contempla la porte magique.

– Ou le corbeau n'était pas là du tout… murmura-t-elle pour elle-même.

Chapitre 4

Arlequin au bal masqué

Gina attendait avec impatience le retour du petit groupe sur le seuil du ***palazzo*** d'Ulpiano. Elle reprocha à Monsieur le comte de revenir aussi tardivement.

– Il faut que j'aide les enfants à s'habiller et à se coiffer ! râla-t-elle.

– On peut se préparer toutes seules, remarqua Rajani.

– Que tu crois ! répliqua Gina. Allez, allez ! Vite, montez !

Les Kinra Girls comprirent l'inquiétude de la jeune femme en découvrant les costumes déposés sur le lit dans la chambre d'Alexa.

– Oh ! s'écria Idalina. Mais qu'est-ce que c'est ?

– La réception au musée est un bal masqué, répondit Gina, soudain de meilleure humeur. Vous allez être superbes ! Alors, que je ne me trompe pas...

Elle attribua une robe à chacune des filles. La bleu et vert était pour Rajani. Elle représentait le printemps. La rouge et orange, l'été, était pour Naïma. Celle aux couleurs changeantes, jaune et mordoré, l'automne, était pour Idalina. La sublime robe blanche, l'hiver, était pour Alexa. Comme il n'y a que quatre saisons, la dernière, pour Kumiko, était tout argentée et ornée de croissants de lune. Les costumes étaient complétés par d'extravagants chapeaux de plumes ou de fleurs. Et bien sûr, les indispensables masques peints de couleurs vives et ornés de fausses pierres précieuses et de paillettes. Gina était une experte du chignon et du crêpage. Les Kinra Girls apprirent qu'effectivement il faut souffrir pour être belle. Le résultat fut à la hauteur de leur peine : leurs volumineuses coiffures agrémentées d'épingles en forme de papillons, de roses ou d'étoiles étaient absolument sublimes.

– Vous êtes vraiment très douée, complimenta Rajani. Merci, Gina !

Ne voulant pas manquer une telle occasion, Kumiko avait filmé ses amies sous toutes les coutures. Alexa lui proposa de la filmer à son tour quand elle passa entre les mains de Gina. Les grimaces de douleur de la Japonaise étaient assez comiques. Mais elle ne se plaignit pas.

– Plus que les bijoux et vous êtes prêtes ! déclara Gina, satisfaite. Ouf ! Juste à l'heure !

Tout le monde fut pris de fou rire en découvrant le costume de Romeo.
Il portait un ensemble en velours rouge et noir avec un invraisemblable chapeau à grelots. Monsieur le comte s'était déguisé en bouffon du roi !

– Vous ressemblez au joker d'un jeu de cartes ! s'amusa Alexa.

Avec leurs robes imposantes, les filles eurent quelques difficultés à s'asseoir dans le minibus. Romeo s'installa à côté de son chauffeur pour leur laisser plus de place.

– J'ai faim, dit Naïma à Rajani.

– Je suis sûre qu'il y aura à manger à la réception.

Idalina s'agita brusquement. Jusqu'à présent, elle n'avait pas vraiment pensé à l'événement. Rajani lui demanda ce qui lui arrivait.

– Il va y avoir des gens ! s'affola Idalina. Des tas de personnes qu'on ne connaît pas ! Et si on nous pose des questions sur la découverte du lion ? Qu'est-ce qu'on répond ?

– Du calme... souffla Alexa. Contente-toi de parler le moins possible !

– C'est là que nos masques sont utiles, ajouta Kumiko. On peut se cacher derrière !

Idalina n'était pas beaucoup plus rassurée. Et ça ne s'arrangea pas quand elle vit la foule dans le hall d'entrée du musée d'Ulpiano. Pourtant le spectacle était réjouissant. Les invités étaient déguisés, tous plus beaux et plus étonnants les uns que les autres. De quoi rivaliser avec le célèbre carnaval de Venise !

On attendait Monsieur le comte pour ouvrir les salles d'exposition. Il donna l'ordre en lançant un joyeux :

– Que la fête commence !

Dès l'ouverture de la double porte, on entendit de la musique. Installé sur une estrade, un orchestre jouait une valse. Les gens se précipitèrent… en direction du buffet. Se trouvant sur leur trajet, les Kinra Girls furent un peu bousculées. Craignant d'être entraînée loin de ses amies, Idalina s'accrocha au bras de Naïma. Maintenant que les invités étaient plantés devant les plateaux de petits-fours, les collections de Monsieur le comte étaient accessibles. Le musée d'Ulpiano était à l'image de son propriétaire : original. Il y en avait vraiment pour tous les goûts. Entre les statues grecques et romaines, les instruments d'astronomie et les fossiles, les vases chinois et les sarcophages égyptiens, les bijoux du XVIIIe siècle et les estampes japonaises, les tableaux modernes et les tambours africains, trônait une ancienne voiture de course, la célèbre biplace Bugatti.

– Notre lion est là-bas ! s'écria Alexa.

Bien protégé par un caisson en verre, l'automate était mis à l'honneur au centre de la grande salle. La trappe sur son flanc était abaissée afin qu'on puisse voir le mécanisme à l'intérieur. On avait fait de même pour la trappe du poitrail. Les filles restèrent un long moment à admirer la rose d'or et de pierres précieuses que recelait le lion.

Kumiko se pencha vers la plaque collée sur la paroi de verre.

– Hé ! Il y a nos noms d'écrits !

Alexa vérifia aussitôt que le sien était correctement orthographié. Naïma se sentit super fière. Elle avait son nom dans un musée !

Quand l'orchestre s'arrêta de jouer, Rajani se retourna vers lui. Elle aperçut un enfant en habit d'arlequin qui se faufilait entre les gens. Son attention fut attirée par Romeo qui s'était emparé d'un micro et elle se désintéressa de l'arlequin.

– Mesdames et messieurs, mes chers amis, dit Romeo, merci de votre présence pour célébrer l'arrivée chez moi de cet incroyable – et unique ! – automate en bronze, vieux de cinq cents ans.

Romeo remercia Frederik Bergström qui lui avait si généreusement confié ce merveilleux objet, regrettant que celui-ci n'ait pu se joindre à eux. Puis il raconta brièvement et avec beaucoup d'humour l'histoire de la découverte du lion.

Idalina aurait voulu disparaître. Tout le monde regardait les Kinra Girls.

– Permettez-moi de vous présenter le ***signore***[20] Bardi, grand spécialiste de Léonard de Vinci. Mais je m'interroge… En quoi donc êtes-vous déguisé, mon cher ?

20. Signore (en italien) : monsieur.

Sa remarque déclencha les rires. Le ***signore*** Bardi portait un costume noir avec un nœud papillon. Lui ne rit pas du tout. C'était un monsieur sérieux.

Il commença son discours en retraçant quelques étapes de la vie de Léonard de Vinci, insistant sur ses talents d'inventeur et d'ingénieur.

– Léonard mit également son génie au service de l'amusement des rois et des puissants. En particulier, bien sûr, le roi de France pour qui il construisit un lion mécanique qui pouvait marcher et peut-être aussi bouger la tête et la queue et battre des paupières. On a longtemps cru que l'automate était destiné à François Ier mais de récentes recherches sembleraient plutôt indiquer qu'il s'agissait de Louis XII. Devant le roi, le poitrail de l'automate s'ouvrait et libérait des lys artificiels, symbole des rois de France. Certaines sources prétendent que des balles bleues emplies de fleurs de lys dorées se déversaient de la poitrine du lion. En vérité, nous savons peu de chose sur cet extraordinaire automate car, hélas, il a disparu.

– Et si vous en veniez au nôtre, de lion, suggéra Romeo.

– Oui, oui, répondit le ***signore*** Bardi, légèrement agacé d'avoir été interrompu. L'examen de ce lion a révélé qu'il était en bronze. Son mécanisme correspond bien à ce que l'on était capable de fabriquer à l'époque de Léonard de Vinci. Il n'y a pratiquement aucun doute que sa construction date du XVIe siècle. Aucune piste ne permet de penser que de Vinci en était l'auteur. Alors, qui a construit ce lion en bronze ?

– Le mystère reste entier ! s'exclama Romeo.

Le spécialiste manifesta son mécontentement d'être de nouveau interrompu, avant de poursuivre.

– Ce qui est sûr, c'est que l'auteur de cet automate était très doué et qu'il a eu accès aux plans et croquis de Léonard de Vinci. La rose est un symbole de beaucoup de choses, entre autres de royaumes et de princes, ce qui ne nous renseigne en rien. Tout ce qu'on peut en dire, c'est qu'elle est en or, ornée de diamants roses, de rubis et de grenats. La valeur de cet objet est inestimable. Pour en revenir à Léonard de Vinci, je...

Romeo le vit avec effroi sortir une liasse de papiers de sa poche. Comprenant qu'il allait se lancer dans un long exposé, le comte d'Ulpiano lui enleva le micro des mains.

– Mais, mais je n'ai pas fini ! protesta le *signore* Bardi.

– Si, si ! affirma Romeo. Vous prendrez bien une coupe de champagne ? C'est par là.

Le comte adressa un signe à l'orchestre. Aussitôt, la musique démarra. Quelques personnes formèrent des couples pour danser la valse. Alors qu'elle s'approchait du buffet, Rajani sentit que l'on tirait sur le nœud de sa ceinture. Elle fit promptement volte-face, juste à temps pour apercevoir la silhouette de l'arlequin qui filait entre les danseurs. Rajani grogna en renouant sa ceinture. Cet arlequin était un petit farceur !

Naïma posa son masque afin de pouvoir manger. Hum... trop bon !

– Si on visitait le musée ? proposa Kumiko.

Naïma, la bouche pleine, agita la tête. Ah non ! Pas maintenant !

– Tu peux t'empiffrer, si tu veux, dit Kumiko. Moi, j'ai envie de me promener !

Idalina, que la foule effrayait, suivit la Japonaise. Les salles voisines n'étaient pas désertes. Certains invités profitaient de l'occasion pour admirer les collections, un verre à la main.

– Oh, c'est amusant ! s'écria Kumiko. Ce sont des jouets anciens, ici !

Idalina s'arrêta devant la vitrine des jolies poupées de porcelaine en costume de carnaval. Elle sursauta quand le ***signore*** Bardi surgit brusquement derrière elle.

– Savez-vous pourquoi on portait des masques dans le temps ? Pour se protéger de la poussière et des intempéries.

– Ah ! c'est intéressant, répondit Kumiko. Merci, monsieur.

Les deux filles essayèrent de s'éloigner mais le ***signore*** Bardi leur emboîta le pas.

– Vous êtes les enfants qui ont découvert le lion, n'est-ce pas ? Je me demandais... Comment avez-vous eu l'idée de chercher dans la bibliothèque ?

– Monsieur le comte vient de le raconter, répliqua Kumiko.

– Oui, enfin... Vous avez cassé un tableau et en le réparant vous avez remarqué qu'il y avait une rose au dos de la toile. Soit... Néanmoins, ça n'explique pas pourquoi vous avez pensé qu'il fallait regarder derrière les livres s'il y avait une rose identique.

– On n'a pensé à rien du tout. On avait simplement déjà vu le panneau avec la rose en prenant des livres ! L'histoire du trésor du château est connue, ce n'était pas difficile de comprendre que c'était un indice !

De nouveau, elles tentèrent de partir mais l'homme ne les laissa pas aller bien loin.

– D'accord, d'accord… Juste une dernière petite chose… De quelle couleur, la rose ?

Kumiko écarquilla les yeux. En voilà une drôle de question !

– Les panneaux de la bibliothèque sont en bois naturel...

– Non, non ! Je parle de la rose au dos du tableau !

Ça, c'était encore plus bizarre ! Très mal à l'aise, Kumiko se dit qu'à sa place Alexa n'hésiterait pas à mentir.

– Noire, répondit-elle.

– Vous êtes sûre ? insista le ***signore*** Bardi.

– Absolument ! affirma Kumiko.

Il grommela quelque chose en italien en rajustant ses lunettes sur son nez. Puis s'en retourna dans la salle principale.

– Qu'est-ce que ça veut dire ? s'étonna Idalina. En quoi c'est important, la couleur du dessin ?

– Je l'ignore. Viens, il faut prévenir les autres que ce bonhomme est un peu trop curieux.

– Elle était bleue, n'est-ce pas ? La rose.

– Oui. L'encre était très pâle, comme si on avait voulu l'effacer.

Naïma fut surprise de leur retour prématuré. Kumiko mit rapidement ses amies au courant de ce qui venait de se passer. Alexa la félicita pour avoir gardé son sang-froid.

– Je n'aime pas ça, commenta Rajani. Restons ensemble et évitons ce soi-disant grand spécialiste au maximum. Ah ! Le revoilà, ce coquin !

Rajani ne faisait pas allusion au ***signore*** Bardi. Elle indiqua l'arlequin qui s'amusait à valser les bras en cercle, comme s'il tenait une partenaire invisible. Soudain, Rajani poussa une exclamation.

– Cet arlequin ! C'est…

Elle s'interrompit et se précipita vers

l'arlequin qui aussitôt s'enfuit. Le farceur joua à cache-cache avec elle entre les danseurs. Tout à son jeu, l'arlequin n'aperçut pas Alexa qui le prit à revers.

– Cette fois, on te tient ! dit Rajani.

Elle enleva le bicorne[21] du chenapan d'un geste vif. Un flot de cheveux blond très clair s'écroula sur les épaules de l'arlequin.

– Singrid[22] ! s'écria Alexa.

En riant, la petite Suédoise ôta son masque noir, découvrant son visage. Elle se jeta dans les bras de Rajani pour l'embrasser tendrement.

– Tu nous as manqué… répondit Rajani, émue.

– Je vous ai bien eues, non ? Vous n'aviez pas deviné que c'était moi, hein ?

– Au début, j'ai cru que l'arlequin était un

21. Bicorne : chapeau en forme de demi-lune, souvent associé au costume d'arlequin.

22. Voir les tomes précédents des Kinra Girls (tomes 9, 11 et 12). Singrid Bergström est l'amie des Kinra. Elle a quitté l'Académie après la découverte du lion.

garçon, avoua Rajani. Mais j'ai fini par te reconnaître ! Comment se fait-il que tu sois à Rome ?

– Hé ! Moi aussi, j'ai découvert le lion !

– Oui, ça, c'est l'histoire qu'on raconte, remarqua Alexa en baissant la voix. En vérité, tu es arrivée après.

– Ça ne change rien, rétorqua Singrid. J'étais là quand même.

– L'important, c'est que tu sois là maintenant ! déclara Rajani. Viens, allons retrouver les autres !

Par-dessus sa coupe de champagne, le comte d'Ulpiano regarda les Kinra Girls qui faisaient fête à Singrid. Il sourit de les voir si heureuses.

Il n'était pas le seul à observer les six filles. Le ***signore*** Bardi remonta ses lunettes sur son nez et renifla d'un air méprisant. Il détestait les enfants.

Chapitre 5

Le plus petit État du monde

À l'heure où le soleil émergeait de l'horizon, le rossignol lança sa plus belle mélodie vers le ciel. Idalina ouvrit les yeux et les referma aussitôt.

Puis elle se rappela que la visite du Vatican était prévue pour la journée. Elle essaya de se motiver. Allez, debout, c'est tout de suite ou jamais. Après, retour à l'école. Rien à faire. Ses paupières restèrent closes. Bon, elle avait bien droit à encore dix minutes de sommeil… ou vingt… trente…

Elle poussa un cri quand une masse lui tomba dessus.

– Bonjour ! Bonjour ! Bonjour !

– Nom de nom ! Singrid ! protesta Idalina.

– Si tu voyais ta tête, tout de suite ! Tes cheveux sont en boule ! C'est trop drôle !

Idalina passa les doigts dans sa chevelure et eut du mal à les retirer.

– Oh... gémit-elle. C'est Gina qui les a crêpés, hier. Ça va être l'horreur pour les démêler !

Elle regretta de s'être contentée d'enlever les épingles la veille au soir. Elle n'avait pas eu le courage de laver et de brosser ses cheveux, comme l'avaient fait ses amies. Ce petit désastre la persuada de se lever. Idalina envoya Singrid sauter sur le lit des autres. Alexa, la première à sortir de sa chambre, rit beaucoup en découvrant la nouvelle « coiffure » d'Idalina. Néanmoins, elle eut pitié d'elle et l'aida à réparer les dégâts.

– Moi qui songeais à les laisser pousser aussi longs que ceux de Rajani, dit Idalina. Je crois plutôt que je vais les couper très court !

– De toutes les façons, tu seras toujours aussi jolie.

Le compliment d'Alexa ne rendit pas le brossage moins douloureux, mais lui fit bien plaisir.

Cette fois-ci, Kumiko ne traîna pas. Elle voulait absolument voir les célèbres peintures de la chapelle Sixtine. Elle avait lu dans le guide touristique que le pape Jules II venait souvent demander au grand Michel-Ange[23] quand il aurait fini de peindre les fresques. Et Michel-Ange, sans bouger de son échafaudage, lui répondait

23. Michel-Ange (1475-1564) : célèbre peintre, sculpteur, architecte et poète italien.

systématiquement : « Quand je pourrai ! » Kumiko trouvait ça génial (et très insolent, il s'adressait tout de même au pape qui le payait pour ce travail !).

Pendant que les filles prenaient leur petit déjeuner dans la galerie des cages, un visiteur fort matinal se présenta. En l'entendant parler avec Monsieur le comte dans le hall, Idalina se crispa. Son oreille musicienne avait immédiatement reconnu la voix du ***signore*** Bardi. Que faisait-il ici ?

Quelques minutes plus tard, Romeo entra seul dans la salle.

– Ah, parfait ! s'exclama-t-il. Vous êtes prêtes !

Il ressortit aussitôt en appelant son chauffeur. Somnolente, Naïma plongea le nez dans son bol de chocolat. Pourquoi le comte criait-il tout le temps ? C'était fatigant. Naïma bâilla, imitée par Kumiko.

Il allait leur falloir plus qu'un chocolat chaud pour les réveiller.

– Hé, oh ! dit Singrid. Ne vous rendormez pas ! Bon, on y va ?

– Quand je pourrai... répondit Kumiko.

– Tu te prends pour Michel-Ange ? s'amusa Idalina.

Kumiko eut un sourire complice. Singrid les regarda avec étonnement. Idalina lui expliqua la plaisanterie.

– Le minibus vient de se garer devant la porte, remarqua Rajani.

Elles retrouvèrent Romeo dans le hall. Il les pria de l'attendre car il devait donner des consignes à ses employés. Discrètement, Idalina confia à Alexa que le ***signore*** Bardi était là. L'Australienne fronça les sourcils. Romeo réapparut, son canotier à la main.

– Voilà ! Les affaires embêtantes sont réglées !

Alexa sauta sur l'occasion et lui demanda si c'était le ***signore*** Bardi qui était embêtant. Romeo éclata de rire.

– Bonne raison de quitter les lieux ! Je n'ai pas envie de passer la journée avec lui, moi, eh...

– Qu'est-ce qu'il fait chez vous ? insista Alexa.

– Oh, il veut étudier des tas de vieux bouquins dans ma bibliothèque. J'ai une belle collection d'ouvrages sur Léonard de Vinci. On s'en moque !

C'était possible, le ***signore*** Bardi était le spécialiste de Léonard. Malgré tout, Alexa avait un doute et Idalina aussi. Et si ce n'était pas pour consulter les livres de Monsieur le comte, qu'était venu chercher le ***signore*** Bardi ?

Rajani était sortie en compagnie de Singrid et n'avait rien entendu de la conversation.

Sur la terrasse, elles profitaient de la douceur du soleil. La température était si agréable qu'on se serait cru en été. Singrid sauta les marches et se dirigea vers le minibus.
Sans savoir pourquoi, Rajani leva les yeux vers la façade du palais. Nichées dans des alcôves, des statues semblaient veiller sur la maison. Et sur la tête de l'une d'elles s'était posé un corbeau au plumage noir irisé de bleu. Il était plus immobile encore que les statues. Un frisson glacé descendit le long du dos de Rajani. Ce corbeau n'était pas fait de chair et de plumes. Il n'était même pas vraiment là. Et c'était la deuxième fois qu'il apparaissait à Rajani.
Kumiko, qui arrivait à cet instant, lui tapa sur l'épaule.

– Hello ! Tu rêves ?

Rajani lui jeta un tel regard que Kumiko

compris qu'il se passait quelque chose. Comme tout le monde était désormais dehors, Rajani se contenta de murmurer :

– Ce soir… ***bora***[24].

Kumiko acquiesça en silence.

Pendant le trajet en voiture, Idalina entreprit de donner un cours sur le Vatican.

– D'abord, commença-t-elle, on doit dire « État libre de la Cité du Vatican ». Vous saviez que c'était le plus petit État du monde ? Et, en fait, il n'existe que depuis 1929. Les papes étaient installés à Rome avant cette date, mais le Vatican n'était pas un État.

– C'est fou ce qu'on apprend dans les guides touristiques ! railla Alexa.

– Oui, ben, ça ne te ferait pas de mal

24. Bora *(en aborigène) : cérémonie sacrée chez les Aborigènes. Nom des réunions secrètes des Kinra Girls.*

d'en lire aussi, rétorqua Idalina. Où en étais-je ? Ah, oui. La Cité du Vatican a son propre drapeau, son hymne, ses timbres et sa monnaie ! Il y a également une gare et une armée !

– Heu... non, la contredit Romeo. Il n'y a plus d'armée.

– Si ! Il y a les gardes suisses ! contesta Idalina.

– Ce n'est pas pareil, expliqua Romeo. La garde est là pour protéger le pape et... faire joli dans le décor ! Il faut reconnaître que l'uniforme orange, rouge et bleu est superbe.

– Pourquoi on les appelle les gardes suisses ? demanda Singrid.

– Parce qu'ils le sont ! répondit Romeo. Suisses.

– C'est bizarre, s'étonna Naïma, ils devraient être italiens, non ?
– Ah, vieille histoire ! Qui remonte à Jules II, donc à peu près, hum... 1505. Le pape souhaitait avoir les meilleurs soldats pour sa protection. Il se trouve qu'à l'époque les militaires suisses allemands étaient les plus réputés, alors il les a engagés ! Et, de nos jours, on recrute toujours des Suisses allemands. D'ailleurs, la langue officielle de la garde suisse est restée l'allemand ! C'est drôle, non, eh ?

Carlo les laissa devant l'enceinte fortifiée de la Cité. Impossible de rater les gardes suisses qui surveillaient l'entrée. Leurs costumes rayés

étaient visibles de très, très loin !

Il y avait énormément de monde sur la vaste place Saint-Pierre. Pourtant, à en croire Romeo, c'était presque désert. Pendant les vacances ou lors des grandes fêtes chrétiennes, la foule était si dense qu'on pouvait à peine se déplacer.

– Certaines personnes pensent que la place a la forme d'un trou de serrure, dit Romeo. Effectivement, si on regarde des photos prises du ciel, ça y ressemble. La basilique que vous apercevez à l'autre bout serait alors la clé... Ce qui est logique, finalement, puisque l'histoire raconte que saint Pierre détient les clés du paradis !

– Il a vraiment existé, saint Pierre ? demanda Kumiko.

– Oui, affirma Romeo. On en a de nombreuses preuves. Pierre a été le premier évêque[25] de Rome. On le considère comme le premier pape. D'ailleurs, tous les papes portent également le titre d'évêque de Rome.

Romeo emmena les filles vers la basilique, la plus grande église du monde. 60 000 personnes peuvent y tenir ! Tout ici paraît gigantesque.

25. Un évêque est le chef de plusieurs prêtres.

Peut-être un peu trop...
Alexa était intriguée par la file de gens devant une statue en bronze. Romeo lui apprit que cette statue de saint Pierre était un objet de vénération. Les croyants embrassaient ou caressaient un des pieds qui, à force, était complètement usé !
Singrid n'écoutait pas la conversation. Elle ne s'intéressait guère à la visite guidée de Monsieur le comte. Elle semblait chercher quelque chose. Au bout d'un moment, Rajani lui demanda ce qui lui arrivait.
Singrid tourna vers elle un visage chagriné.

– Je ne trouve pas les cierges. Je... je voulais allumer une bougie pour ma maman.

En entendant ça, Idalina eut envie de pleurer. Singrid avait perdu sa maman quelques mois auparavant. Romeo posa la main sur l'épaule de la petite fille.

– Si tu veux bien me faire confiance, dit-il doucement, je t'emmènerai demain matin dans un endroit qui, à mon avis, te plaira beaucoup plus que cette basilique.

Singrid essuya ses joues mouillées de larmes et acquiesça. Alexa n'aima pas du tout le silence pesant qui suivit. Elle s'empressa de le rompre.

– Je ne sais pas pour vous, mais moi, j'ai drôlement soif !

– Moi aussi, renchérit Naïma. Et, heu... quand est-ce qu'on mange ?

– Il est 11 heures ! remarqua Rajani.

– Et alors ? rétorqua Naïma.

– Je connais un restaurant où l'on sert de délicieuses glaces au miel et à la vanille, déclara Romeo.

– On y va ! décida Naïma.

Du coup, Singrid se mit à rire. Romeo n'avait pas précisé que son restaurant n'était pas

au Vatican. Le temps que son chauffeur revienne et les transporte dans un autre quartier, et il était l'heure de déjeuner. Pour le plus grand plaisir de Naïma... et de tout le monde !

L'après-midi, Romeo les emmena voir les fameuses fresques de Michel-Ange. La chapelle Sixtine, du nom du pape Sixte VI, est une longue salle voûtée.

– La voûte est à 20 mètres du sol. Michel-Ange y a peint quatre cents personnages ! expliqua Romeo. Il disait lui-même qu'à force de travailler tordu sur son échafaudage, il avait le ventre collé au menton !

– C'est incroyable… murmura Kumiko, ébahie.

Les fresques racontent plusieurs épisodes

de la Bible, tels que la vie de Moïse ou la création du monde. La plus célèbre d'entre toutes est celle de la création d'Adam, le premier homme. Dieu tend l'index vers celui d'Adam pour lui donner la vie[26].
Sur le mur du fond de la chapelle, Michel-Ange a représenté le Jugement dernier, la fin des temps, où les âmes seront jugées. Il avait 66 ans quand, enfin, il termina cette œuvre monumentale.

– Je comprends mieux pourquoi Michel-Ange répondait « quand je pourrai ! » au pape ! conclut Kumiko en riant.

26. *Voir pp. 138-139.*

Chapitre 6

Un corbeau et des roses

Les six filles somnolaient dans le minibus. Couchées tard la veille et levées tôt le matin, elles étaient épuisées après une journée à visiter le Vatican. Le minibus pénétra dans le jardin du ***palazzo*** d'Ulpiano. Quand il se gara devant le perron, Alexa ouvrit les yeux et s'étira.

– Une sieste avant le dîner vous ferait du bien, conseilla Romeo.

– Oui, Monsieur le comte, répondit Alexa en bâillant.

Singrid était tellement fatiguée qu'elle tenait à peine debout. Naïma passa son bras sous le sien pour l'aider à monter l'escalier. Rajani et Alexa étaient les deux dernières à entrer dans la villa. Elles croisèrent Gina dans le hall. Celle-ci avait l'air un peu énervée.

– Ça ne va pas, Gina ? lui demanda Alexa.

– Je suis payée pour m'occuper de la maison, d'accord ! Il y a quand même des limites ! Ce ***signore*** Bardi m'a mis la bibliothèque dans un de ces états ! Il a sorti toutes les archives de la famille d'Ulpiano ! Vous imaginez ? Il y a des papiers vieux de plusieurs siècles ! Et il les a laissés sur la table !

– Je croyais que le spécialiste était ici pour consulter les livres sur Léonard de Vinci ?, s'étonna Alexa.

Gina haussa les épaules. Elle n'était pas au courant. Elle courut après Monsieur le comte pour lui faire part de son mécontentement.

– ***Bora***, maintenant, murmura Rajani. Alexa acquiesça. Le comportement du ***signore*** Bardi était pour le moins curieux. Mais Rajani pensait à des choses encore bien plus étranges.

Kumiko les attendait dans le couloir en compagnie d'Idalina. Elle avait eu le temps d'avertir les deux autres Kinra Girls qu'une réunion secrète était prévue. Naïma était avec Singrid. Elle réapparut et assura que leur amie était déjà à moitié endormie.

– Ça m'ennuie d'exclure Singrid de notre ***bora***, soupira Rajani. Malheureusement, on n'a pas le choix. Elle ignore presque tout de nos… nos…

– Explorations, compléta Alexa.

– Merci. Je cherchais un mot à la place de « bêtises » !

Une fois dans la chambre de Rajani, elles s'assirent sur le grand lit. Alexa rapporta la conversation avec Gina à propos du ***signore*** Bardi.

– Il n'est pas net, celui-là, commenta Kumiko. Il nous pose des tas de questions et voilà qu'il fouille dans les papiers de famille du comte ! Qu'est-ce que ça signifie, tout ça ?

– Leonzio Rinaldi, répondit Rajani.

– Qui ? fit Naïma.

– Leonzio ! L'ancêtre de Romeo ! Le propriétaire du chat fantôme ! Je vous parie ce que vous voulez que le spécialiste s'est introduit ici pour obtenir des informations sur lui et sur le château !

– Qu'est-ce qu'il espère trouver ?

– Le trésor ! s'exclama Kumiko.

– Mais on a découvert le lion ! objecta Naïma.

– S'il continue de chercher, c'est que ce n'est peut-être pas que ça, le trésor, répondit Kumiko. Rappelez-vous : Bardi voulait savoir de quelle couleur était la rose au dos du tableau. Et il a eu l'air drôlement déçu quand je lui ai dit qu'elle était noire ! Cette rose est importante pour une raison que lui seul connaît. Et ça n'a rien à voir avec le lion.

Idalina eut une espèce de cri étranglé.

– Oh ! Des roses ! On a oublié qu'il y en avait plusieurs dans le souterrain sous le château !

– On n'a pas vraiment oublié, répliqua Kumiko. On a pensé que c'était des indices qui menaient au lion[27].

– Essayons de faire la liste de tous les endroits où nous avons vu des roses, proposa Alexa. D'abord, le panneau de bois de la bibliothèque. Cette rose-là

27. *Voir le tome 9 des Kinra Girls,* Sur la piste du trésor.

nous a bien conduit à l'automate !
– Ça ne prouve rien, remarqua Naïma. Le panneau ouvre une cache où il pouvait y avoir autre chose avant qu'on y mette le lion !

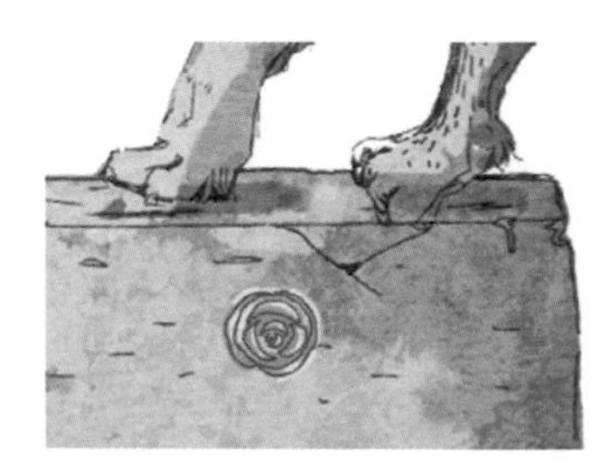

– C'est possible, admit Alexa. N'empêche que l'automate dissimule une rose d'or et de pierres précieuses dans son poitrail. Ce n'est pas une coïncidence, ça, quand même ! Ensuite, souvenez-vous, il y a les deux statues de lion dans les salles souterraines. Sur le socle du premier, il y a écrit « ***mea rosa*** ». C'est du latin et c'est une expression de tendresse. Nous, on dirait « mon cœur » ou « ma chérie ». Ce qu'il faut relever, c'est que « ***rosa*** », c'est

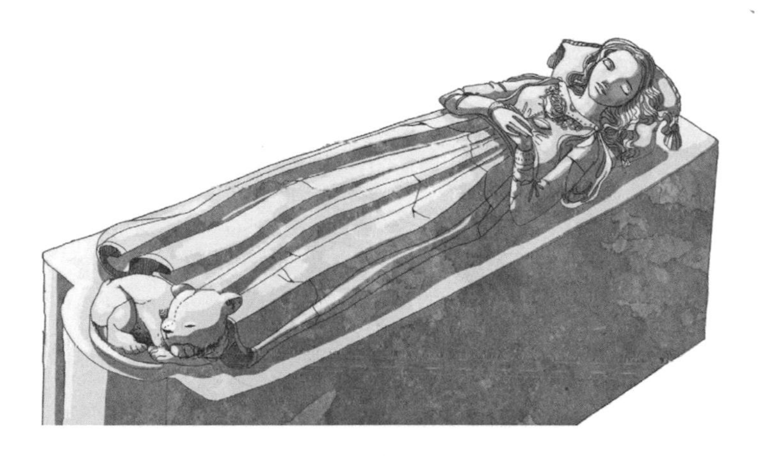

bien « rose », la « fleur », en latin. Sur le socle du second lion, il y a une rose gravée.

– Et enfin, il y a le tombeau qu'on a trouvé dans les souterrains, dit Idalina. Sur le couvercle en pierre, il y a la sculpture d'une belle jeune femme.

C'est ce que l'on appelle un gisant. On en voit souvent dans les églises. Ce sont toujours des gens importants qui ont droit à ce genre de tombeau. Il y a un lionceau, très mignon, aux pieds de la femme et elle tient une rose dans les mains. Voilà ! Si on compte, ça fait pas mal de roses.

– Et il y a toutes celles qu'on n'a pas encore trouvées ! s'exclama Alexa. On n'a exploré qu'une petite partie des tunnels.

Kumiko se tourna vers Rajani.

– Tu es très silencieuse...

– Je vous écoute, répondit Rajani. Les roses et le ***signore*** Bardi, c'est intéressant, mais si j'ai convoqué cette ***bora***, c'est pour une autre raison.

Rajani s'assit plus confortablement en déplaçant l'oreiller dans son dos.

– Vous savez que je fais des rêves

prémonitoires dans lesquels il y a toujours un corbeau. Grâce à notre nouveau gardien de nuit, M. Lapointe, nous avons appris que nous avions des animaux totems qui nous guident et nous conseillent[28].

– Et le tien, c'est le corbeau ! dit Idalina. Un oiseau magique pour les Amérindiens. Tu as rêvé de corbeau ?

– Non. Je l'ai vu.

– Ah oui ! se souvint Kumiko. Dans le jardin de la place Victor-Emmanuel-II. Tu me l'as dit. Mais quand j'ai regardé, il s'était déjà envolé.

– Non, parce qu'il n'a jamais été là.

– Je ne comprends rien, avoua Naïma.

– Il n'y avait pas de corbeau, expliqua Rajani, pas un vrai. C'est mon animal totem qui m'est apparu. Et pas qu'une fois. Deux.

28. *Voir le tome 5 des Kinra Girls,* Destination Japon, *et le tome 14,* Le coyote s'en mêle.

Rajani raconta avoir d'abord vu le corbeau sur la tête du dieu Bès puis, le matin même, sur celle d'une des statues de la façade du ***palazzo***.

– Faut croire qu'il aime bien être sur des têtes de pierre ! plaisanta Alexa. Pardon. Je ne voulais pas t'interrompre. Et il faisait quelque chose ?

– Il me fixait de ses yeux noirs, sans bouger. La question, c'est pourquoi ? Pourquoi m'apparaître maintenant ?

– Il essaie de te transmettre un message, supposa Kumiko. Peut-être pour te prévenir que le ***signore*** Bardi est dangereux ?

– Ça, on l'a deviné toutes seules ! remarqua Naïma.

– Non, non, non ! s'écria Alexa. On ne part pas dans le bon sens ! Ce qu'il faut se demander, c'est pourquoi, ici, à Rome !

Qu'est-ce qu'il y a de particulier dans cette ville ?

– Monsieur le comte, répondit Rajani. Ou plutôt son ancêtre, Leonzio !

– Attends, réclama Alexa. Je veux bien admettre que ton animal totem se montre au ***palazzo*** pour : petit un, qu'on se méfie du spécialiste à lunettes, petit deux, qu'on s'intéresse de près à Leonzio, propriétaire du château. Peut-être à cause d'un trésor perdu… D'accord. Mais est-ce que quelqu'un peut me dire pourquoi Rajani a aperçu le corbeau sur la tête du dieu Bès ? Qu'est-ce qu'il vient faire dans l'histoire, ce vilain nain égyptien ?

Les filles réfléchirent pendant un long moment.

– Ce n'est pas le dieu Bès que le corbeau m'indiquait ! s'exclama Rajani. C'est la porte magique ! Oh ! La clé d'or de Leonzio ! « Une clé d'or ouvre toutes les portes. »

Rajani faisait référence au lion gravé derrière le miroir de la bibliothèque de l'école. Entre ses pattes, il tenait un ruban où était inscrit cette phrase. Les Kinra Girls avaient découvert cette clé d'or qui, effectivement, ouvrait les portes dans les souterrains.

Idalina écarquilla les yeux. Quoi ? La clé d'or ouvrirait la porte magique ?

– Pas celle du jardin, dit Rajani. Il ne reste que les pierres qui entouraient la porte. Il n'y a donc pas de serrure ! Et si les quatre autres portes n'avaient pas disparu avec la villa Palombara ?

– On les aurait enlevées avant la démolition de la maison, supposa Kumiko. Pourquoi en laisser une, dans ce cas ?

– Peut-être parce qu'elle ne sert à rien, répondit Alexa. Elle n'est là que pour tromper les gens. Le vrai message est sur les portes manquantes ! Et on a fait croire qu'elles avaient été détruites pour qu'on ne les recherche pas !
– Vous pensez que Leonzio a volé les portes et les a cachées dans le château ? demanda Idalina.
– Ce que je pense, dit Alexa, c'est que les indices nous ramènent chaque fois vers le château. La couleur de la rose du tableau, Leonzio et la clé qu'il a accrochée au cou de son chat, et le ***signore*** Bardi ! Ce n'est pas par hasard qu'il est venu fouiller dans les papiers du comte, celui-là !
– Et ce n'est sûrement pas par hasard que le lion gravé dans la bibliothèque porte la phrase « Une clé d'or ouvre toutes les

portes », renchérit Kumiko. *Toutes* les portes.

– Hé ! cria Naïma. Mais alors, c'est ça qu'il veut, le ***signore*** Bardi ? Les portes magiques ? Ou plutôt ce qu'il y a dessus. La formule de l'alchimiste !

La formule du mystérieux invité du marquis Palombara… Le secret pour fabriquer de l'or.

Chapitre 7

Faites un vœu !

La veille au soir, pendant le dîner, Alexa avait habilement fait parler Monsieur le comte. Les Kinra Girls avaient appris que le ***signore*** Bardi avait effectivement demandé à consulter les archives de la famille d'Ulpiano. Certains de ces documents dataient de l'époque de Léonard de Vinci et d'autres étaient même encore plus anciens. Romeo n'avait donc pas trouvé surprenant que Bardi souhaite les étudier.

Personne ne rêva de corbeau, cette nuit-là. Mais peut-être rêva-t-on de barre de plomb transformée en lingot d'or...

Les Kinra Girls se levèrent tôt pour profiter au maximum de leurs dernières heures à Rome. Singrid, quant à elle, repartait pour la Suède le lendemain. Elles étaient toutes un peu tristes à l'idée de se séparer.

L'infatigable Romeo surgit dans la galerie des cages comme un diable hors d'une boîte.

– ***Buon giorno, ragazze***[29] *!* Avalez vos tartines, on joue contre la montre !

– Notre vol est à 17 heures, dit Kumiko. Il n'y a pas urgence à ce point-là.

– Erreur ! La pluie est annoncée pour midi, alors on se dépêche ! Carlo ! ***La macchina***[30] *!*

Dès que Romeo fut ressorti, Naïma demanda pourquoi le comte criait sans arrêt.

29. Buon giorno, ragazze *(en italien) : bonjour, les filles.*

30. La macchina *(en italien) : la voiture. Se prononce « makina ».*

– Je crois que c'est parce qu'il est gai de nature ! répondit Rajani, amusée.

– Ce n'est pas une raison pour nous casser les oreilles, bougonna Naïma.

Au travers de la baie vitrée, Idalina regarda le ciel où quelques nuages blancs se promenaient. Le vent agitait les branches des arbres. Oui, le temps changeait.

Les filles remontèrent rapidement à l'étage pour se laver les dents.

Elles découvrirent un sac assez volumineux posé devant chacune de leurs chambres.

Gina, qui les avait suivies, attendit leurs réactions.

– Qu'est-ce que c'est ? s'enquit Kumiko.

– Un souvenir ! s'exclama Gina, d'un air ravi. Vos costumes pour le bal masqué !

– Oh ! fit Naïma. On ne peut pas accepter ! C'est... c'est trop !

– Mais non ! répliqua Gina. Et puis, que voulez-vous que Monsieur le comte en fasse ? Ils ne sont pas à sa taille !

Elle rit de sa propre plaisanterie et les assura qu'elles le méritaient bien. Après tout, sans elles, le lion automate ne serait pas dans le musée d'Ulpiano.

Romeo leur dit la même chose pour couper court à leurs remerciements. Le lion serait « la star » de ses collections pour les années à venir ! Une fois que tout le monde fut installé dans le minibus, Romeo s'adressa à Singrid.

– Hier, je t'ai promis de t'emmener dans un endroit qui devrait te plaire. C'est un

lieu que peu de touristes connaissent.
Il est vrai qu'il n'est pas très facile à
trouver.

Pendant le trajet, Romeo leur raconta l'histoire de la *Madonna dell'Archetto*[31].
Il existait, au XVIIe siècle, une image de la Sainte Vierge peinte sur la pierre, dans un passage qui conduisait à la *via dell'Archetto*. Cette peinture appartenait à une marquise. Un jour, un miracle se produisit. On vit la Madone bouger les yeux. La marquise, pour que les gens puissent prier devant l'image, l'exposa sous l'arc de la ruelle. Cent ans plus tard, le miracle se produisit de nouveau devant de nombreux témoins. On ferma alors le passage pour le transformer en chapelle. C'est le plus petit sanctuaire[32] dédié à la Sainte Vierge de la ville de Rome.

31. Madonna dell'Archetto *(en italien) : Madone du Petit Arc. Se prononce « arkéto ».*

32. Un sanctuaire est un lieu religieux, un lieu saint.

Comme il était impossible de se garer dans le centre, Carlo les laissa sur une place et s'en alla rendre visite à un de ses cousins. Il y avait du monde dans le quartier, des Romains qui faisaient leurs courses, des touristes qui se promenaient... et des Romains et des touristes qui profitaient de la douceur matinale pour boire un café à une terrasse !

Romeo obliqua brusquement. Il poussa une grille qui clôturait une ruelle. Entre les murs de cette belle couleur ocre si fréquente à Rome, la petite voie conduisait à une porte vitrée. On avait l'impression d'être soudain passé dans un autre monde, loin du bruit et de l'agitation. Romeo s'arrêta devant la porte.

– Ma grand-mère... commença-t-il.

Il s'interrompit et regarda Idalina avant de continuer sur un ton malicieux :

– Pas l'alpiniste, l'autre, celle qui fait le

tour de l'Afrique à la voile… Quand j'étais enfant, ma grand-mère, donc, me disait toujours que Marie, la Sainte Vierge, est avant tout une maman.

Il se retourna et ouvrit la porte, sans oublier d'ôter son chapeau.

– Voici la *Madonna dell'Archetto*…

La Madone est la mère de toutes les mamans.

Singrid glissa sa main dans celle de Rajani avant d'entrer dans la minuscule chapelle. Des cierges brûlaient devant l'autel. Au-dessus de celui-ci, dans son cadre doré, trônait la peinture assez sombre de la *Madonna dell'Archetto*. On remarquait aussitôt la douceur de son visage et les grands yeux noirs.

Romeo mit un billet dans le tronc et prit plusieurs cierges. Il en donna un à chacune des filles. Il alluma le sien et le planta dans

le présentoir. Il alla s'asseoir sur une des rares chaises.

Singrid tremblait un peu en allumant son cierge à celui de Romeo. Puis elle leva la tête vers la Madone et resta figée. Silencieusement, les Kinra Girls placèrent leurs cierges à côté des autres. Rajani, d'un geste, demanda à ses amies de reculer et de laisser Singrid seule devant la peinture. Naïma s'assit et contempla le sanctuaire. Elle aimait surtout les statues des anges, d'une blancheur immaculée. Kumiko s'intéressait à la riche décoration des murs et du plafond. Elle donna un discret coup de coude à Alexa et lui montra une fresque. Une femme assise auprès d'un lion !

Le temps s'écoula. Singrid essuya ses joues. Mais ce fut avec un sourire qu'elle dit :

– Ma maman m'a appris qu'un cierge qu'on allume dans une église, c'est une prière que l'on laisse derrière soi. Merci, Monsieur le comte.

Idalina crut, pendant un instant, que Romeo allait se mettre à pleurer, lui aussi. Il se ressaisit et les invita à sortir. Il referma la porte du sanctuaire de la *Madonna dell'Archetto* et remit son canotier.

– Je connais un endroit où l'on propose de délicieuses glaces artisanales...

Les rires des filles se mêlèrent au vacarme de la foule. Étrange ville où le calme le plus absolu côtoie le tumulte le plus pénible !

Le glacier de Romeo se trouvait à la meilleure des places pour un commerçant. En face de la célébrissime fontaine de Trevi ! Comme on pouvait s'y attendre, il y avait des touristes en masse devant le monument, véritable symbole de Rome.

En dégustant leurs glaces au thé vert, servies dans une coupelle en carton pour en préserver le goût, le petit groupe essaya de se frayer un chemin jusqu'au bord de la fontaine. Adossée à un palais, la fontaine de Trevi impressionne par sa taille. Sur un rocher, Neptune se tient sur son char tiré par des tritons[33] et des chevaux marins. Il est encadré par des niches où deux sculptures représentent la Salubrité et l'Abondance[34]. La fontaine est encore alimentée en eau par un aqueduc romain construit il y a plus de deux mille ans !

Dans le bassin brillaient nombre de pièces cuivrées. Quelques gouttes de pluie mouillèrent le pavement. Monsieur le comte sortit son porte-monnaie.

– La tradition veut qu'on jette deux pièces, dit-il. La première pour être assuré de revenir à Rome. La seconde pour exaucer un vœu.

33. Dans la mythologie, un triton est une créature marine à tête d'homme et à queue de poisson.

34. La salubrité : la santé, l'abondance : la richesse.

– Si tout le monde fait ça, il doit y avoir beaucoup d'argent ! supposa Alexa.

– Un million d'euros par an, répondit Romeo.

Naïma contempla la fontaine. Combien de millions de vœux avaient-ils été confiés à la bienveillance du dieu Neptune ? Romeo expliqua que, chaque matin, les pièces étaient collectées puis remises à des associations qui s'occupent des pauvres. Romeo montra aux filles comment il fallait procéder. On devait tourner le dos à la fontaine et lancer la pièce par-dessus son épaule avec la main droite. Elles s'alignèrent contre le

rebord et lancèrent leur première pièce.
Voilà, c'était sûr, elles reviendraient à Rome !
Romeo leur tendit une seconde pièce.

– Maintenant, faites un vœu !

– Vous aussi ! le pria Singrid.

Monsieur le comte eut un petit sourire.

– Oh, mais j'ai déjà tout ce que je veux, moi, eh...

Devant l'insistance de Singrid, il accepta de se joindre à elles. Les pièces s'envolèrent et plongèrent jusqu'au fond du bassin. La pluie clapotait sur la surface de l'eau. Sans le savoir, Romeo et les six filles souhaitèrent la même chose : celui de se retrouver tous ensemble un jour prochain.
Désormais, il pleuvait dru. Le ciel de Rome pleurait-il sur la séparation des amis ?
Du haut de son char, Neptune veillait sur la Ville Éternelle.
Il y a des vœux qui se réalisent.

2015

VOCABULAIRE

Buon giorno, ragazze (en italien) :
bonjour, les filles.

Ma (en italien) : mais.

Io non so (en italien) :
je ne sais pas.

La macchina (en italien) : la voiture.
Se prononce « makina ».

Madonna dell'Archetto (en italien) :
Madone du Petit Arc.
Se prononce « arkéto ».

Magnifico (en italien) :
magnifique.

Si (en italien) : oui.

Palazzo (en italien) : palais.

Piazza (en italien) : place.

Signore (en italien) : monsieur.

Tartufo (en italien) : dessert italien.
Il s'agit d'une boule de glace,
dans laquelle se cache une cerise,
recouverte de morceaux de chocolat
et d'une couche de crème Chantilly.

Via (en italien) : rue.

LE VATICAN, LE PLUS PETIT ÉTAT DU MONDE !

La superficie du Vatican n'est que de 0,44 km^2, soit l'équivalent de soixante terrains de football. Il compte 921 habitants, dont la plupart sont des religieux qui, selon une organisation précise, forment le clergé.
Au sommet, il y a le chef, le pape. Ensuite, les cardinaux, les évêques, et enfin les prêtres.
Situé au cœur de Rome, la capitale de l'Italie, le Vatican abrite la basilique Saint-Pierre, les musées du Vatican, le palais du pape (Palais apostolique), des églises et des bibliothèques.

Qui est le pape ?

Le pape est le chef du Vatican et de l'Église catholique. C'est lui qui donne les grandes directions de pensée à tous les catholiques.
Il est élu à vie par une assemblée de cardinaux, le conclave, qui s'enferment dans la chapelle Sixtine pour délibérer. Pendant tout le temps du

vote, une fumée noire sort de la cheminée de la chapelle. C'est une fumée blanche qui annoncera aux fidèles l'élection d'un nouveau pape.

La place Saint-Pierre

La place Saint-Pierre est connue dans le monde entier pour ses 284 colonnes sculptées par le Bernin et portant 140 statues de saints. C'est ici que se regroupent les fidèles qui viennent voir le pape : parfois, il peut y avoir jusqu'à 200 000 catholiques réunis.

POUR EN SAVOIR PLUS...

Au milieu de la place s'élève un obélisque rapporté d'Égypte en 37 apr. J.-C., sous l'empereur romain Caligula. Ce dernier souhaitait décorer le cirque où combattaient les gladiateurs. C'est l'empereur Constantin, le premier à se convertir à la religion catholique, qui a fait détruire le cirque pour y bâtir une basilique.

La Création d'Adam

La Création d'Adam est l'une des fresques les plus connues de la chapelle Sixtine. Michel-Ange l'a peinte entre 1508 et 1512. Elle représente Dieu qui tend le bras vers Adam et lui touche le doigt. Cette scène est inspirée d'un extrait du livre de la Genèse, dans la Bible, qui raconte la création du monde et de l'homme : « Dieu créa l'homme à son image. »

SUIS LES AVENTURES DES KINRA GIRLS

DÉCOUVRE AUSSI LES ACTIVITÉS CRÉATIVES DES KINRA GIRLS

Découvre notre Lili aussi drôle que têtue
et suis-la au fil de ses aventures...

Tome 1

Depuis toute petite,
Lili adore dessiner, créer
et veut devenir styliste.
Mais son père s'y oppose…

Tome 2

Lili entre en sixième au collège Dalí,
une école d'art. Mais la rentrée
n'est pas de tout repos...

Tome 3

Un défi est lancé à la classe de Lili :
organiser un défilé de mode !

Tome 4

Lili passe beaucoup de temps
aux écuries, mais les pestes
ne la laissent jamais tranquille...

Tome 5

Le père de Lili vient passer quelques jours avec sa fille. Mybel, de son côté, monte un clan de style kawaï contre Lili…

Tome 6

De drôles de bruits réveillent les élèves de l'École Dalí en pleine nuit…

Tome 7

Lili est de retour chez elle… où une belle suprise l'attend !

Tome 8

La classe de Lili participe à un concours d'art.

Tome 9

Lili reçoit le résultat du concours d'art.

Tome 10

Lili appelle enfin sa maman !

Tome 11

À PARAÎTRE (mars 2016)

ISBN : 9782809654264
Dépôt légal : septembre 2015.
Imprimé en Chine.

Loi n° 49-956 du 16 juillet 1949 sur les publications destinées à la jeunesse.

Mise en page : Isabelle Southgate.
Mise au point de la maquette : Cédric Gatillon.
IGS-CP pour la photogravure.

Nous tenons à remercier pour leur contribution à cet ouvrage :
M. Baudry, J.-L. Broust, G. Burrus, A.-S. Congar, M. Dezalys, G. Endrigo,
M. Joron, L. Maj, K. Marigliano, C. Onnen, C. Schram, M. Seger, N. Tran,
K. Van Wormhoudt, M.-F. Wolfsperger.